Scénario : Xavier Dorison et Fabien Nury · Dessin et couleur : Christian Rossi

W·E·S·T

WEIRD ENFORCEMENT SPECIAL TEAM

2. CENTURY CLUB

DARGAUD

PARIS · BARCELONE · BRUXELLES · LAUSANNE · LONDRES · MONTREAL · NEW YORK · STUTTGART

RÉSUMÉ

AOÛT 1901. Meurtres, suicides, attentats…
Un vent de folie souffle sur l'élite américaine.

Washington. Un ancien conseiller de la Maison-Blanche recrute sa propre équipe pour mener l'enquête. Morton Chapel, shaman anglais. Angel Salvaje, Indien exorciste. Joey Bishop, tueur juvénile. Bart Rumble, colosse jovial. Quatre hommes, et un nom de code : W.E.S.T.

New York. La fille du sénateur Charles Lennox, Kathryn, jeune psychiatre, revient d'Europe. Elle retrouve sa mère alcoolique, son frère opiomane. Elle ignore encore que son père est lié à la vague de crimes. C'est lui qui a recruté leurs auteurs, au sein d'une association très spéciale. Le Century Club.

W.E.S.T. débarque dans la vie de Kathryn, elle-même décidée à faire parler son père. Pire, son frère vient d'empoisonner tout un quartier de New York ! Kathryn n'a plus d'autre solution que de s'associer à W.E.S.T. pour découvrir qui manipule les cartes du Century Club.

www.dargaud.com

© DARGAUD 2005

PREMIÈRE ÉDITION

NEW YORK, 27 AOÛT 1901.

EMPOISONNEMENT À HELL'S KITCHEN ! STRYCHNINE DANS UNE SOUPE POPULAIRE !

Morning Sun

PLUS DE CENT MORTS CHEZ LES "ENFANTS DE DIEU" !...

... TOUS LES DÉTAILS EN EXCLUSIVITÉ DANS LE MORNING SUN !...

JUPITER ! TÉLÉPHONE POUR TOI !

... ON SOUPÇONNE UN MÉDECIN D'ORIGINE RUSSE ,,, LE MORNING SUN VOUS LIVRE LE COUPABLE !

EH BEN ! RÉPONDS ! DIS-LEUR QUE JE SUIS BALADE ,,,

OH ! MONSIEUR LE COMMISSAIRE !,,, JE COMPRENDS, MONSIEUR LE COMMISSAIRE ,,, IL ARRIVE TOUT DE SUITE ,,,

JUPITER, LÈVE-TOI !

JE BEUX BAS ,,, J'AI DE LA VIÈVRE ,,,

ILS ONT BESOIN DE TOUS LES POLICIERS SUR LE TERRAIN. TOUS, ÇA VEUT DIRE TOI Y COMPRIS.

LE BÉDECIN A DIT QUE JE DEVAIS RESTER AU LIT.

JUPITER! TU VEUX TE FAIRE RENVOYER ?

ET TOI, TU VEUX AVOIR BA BORT SUR LA CONSCIENCE ?

TU AS RAISON. JE VAIS LE RAPPELER TON COMMISSAIRE, LUI DIRE QUE TU N'ES PAS EN ÉTAT... ET QUE C'EST L'HEURE DE TON LAVEMENT...

VAUT QUE J'AILLE AIDER LES COBAINS ! JE BE SENS BIEUX, BAINDENANT !

...AATCHA!

NNIF....

JUPITER CROMWELL ?

OUI ?

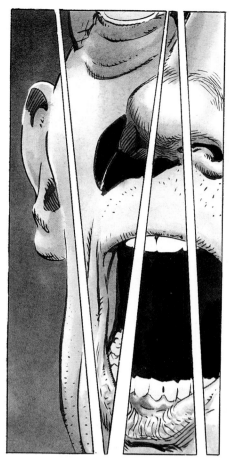

INSPECTEUR CROMWELL ?

...INSPECTEUR ?

INSPECTEUR CROM... EUH... MORTON ?!

CHEZ MON PÈRE, VOUS VOUS PRÉSENTEZ COMME JUPITER CROMWELL; MAIS POUR VOS AMIS, C'EST MORTON. C'EST LEQUEL, VOTRE VRAI NOM ?

* VOIR "LA CHUTE DE BABYLONE", W.E.S.T T.1

MORTON ALOYSIUS CHAPEL, POUR VOUS SERVIR, MADEMOISELLE.

ESPÈCE DE MENTEUR... VOUS... VOUS ÊTES DÉJÀ VENU ICI, N'EST-CE PAS ? LE CADEAU... POUR LA CHAMBRE 17, C'ÉTAIT VOUS !

JE N'AI PAS LE TEMPS DE BAVARDER AVEC VOUS. QUE VOULIEZ-VOUS ME DIRE ?

MON FRÈRE EST ENCORE INCONSCIENT, MAIS IL VA S'EN SORTIR, VOUS... VOUS ALLEZ L'ARRÊTER ?

MADEMOISELLE... IL VAUDRAIT MIEUX POUR LUI QU'IL RÉPONDE À MES QUESTIONS.

VOUS SAVEZ CE QU'IL A FAIT... DE QUOI IL EST COUPABLE...

IL N'A PAS AGI DE SON PLEIN GRÉ, J'EN SUIS PERSUADÉ, IL FAUT QUE JE SACHE **QUI** L'A FORCÉ...

IL N'EST PAS EN ÉTAT DE VOUS RÉPONDRE ET JE NE SAIS PAS QUAND IL LE POURRA !

ALORS IL VA FALLOIR QUE JE LE RÉVEILLE MOI-MÊME !

???
!!!

IL A DIT QUELQUE CHOSE ?

MAIS... QUI ÊTES-VOUS? QUI VOUS A PERMIS D'ENTRER ?

TOUT VA BIEN, DOC-TEUR, MONSIEUR EST POLICIER.

JE VOUS REMERCIE POUR TOUT. JE COMPTE SUR VOUS POUR... ENFIN, SUR VOTRE DIS-CRÉTION, CETTE HISTOIRE D'OPIUM... SI MON PÈRE L'APPRENAIT... OU LA POLICE...

BIEN SÛR, MON PETIT. VOUS ÊTES EN SÉCURITÉ, ICI, SI VOUS AVEZ EN-CORE BESOIN D'AIDE, APPELEZ-MOI.

QU'EST-CE QUE VOUS FABRIQUEZ ?

JE L'EXAMINE. TOUTE INFLUENCE LAISSE UNE TRACE OU UNE RÉPER-CUSSION PHYSIOLOGIQUE, ALORS ? A-T-IL PARLÉ, OUI OU NON ? VOUS AVEZ PEUT-ÊTRE PRIS SES PA-ROLES POUR DE SIMPLES RÂLES... SI CE N'ÉTAIT PAS DE L'ANGLAIS ...

QU'EST-CE QUE VOUS CROYEZ, QU'IL VA RÉ-CITER LA MESSE EN LATIN ? IL N'A RIEN DIT.

ET MIS À PART LA STRYCHNINE... VOUS N'AVEZ RIEN TROUVÉ SUR LUI ? AUCUN OBJET INHA-BITUEL, INCONGRU ?

COMME UNE PIÈCE GRAVÉE D'UNE CROIX ? CE GENRE DE GRI-GRI ?

CE GENRE-LÀ, OUI... OU PEUT-ÊTRE UNE CARTE... COMME CELLES QU'ON DISTRIBUE DANS LES CLUBS PRIVÉS.

NON. RIEN DU TOUT.

PARLONS DES SYMPTÔMES. AVEZ-VOUS CONSTATÉ UN AMAIGRISSEMENT ? DES REJETS PAR VOIE BUCCALE, DES SUDATIONS EXCESSIVES ? UNE ODEUR CORPORELLE PARTICULIÈRE ?

ÉVIDEMMENT... IL EST OPIOMANE, MAIS CE N'EST PAS UN CRIME, TOUT AU PLUS UNE ERREUR DE JUGEMENT !

L'OPIUM N'EXPLIQUE PAS TOUT !

IL FAUT QU'IL PARLE, KATHRYN. VOUS ÊTES UNE SPÉCIALISTE DE L'ALIÉNA-TION, JE CROIS... VOUS POURRIEZ PEUT-ÊTRE...

L'HYPNOTISER ? DANS SON ÉTAT ?

DANS **SON** INTÉRÊT... ET LE NÔTRE.

7

"... DÉLIVRE-LE DES MENSONGES, DE LA COLÈRE..."

PITIÉ, NE M'ENLEVEZ PAS MON JOSEPH... IL N'A RIEN FAIT DE MAL !

"... ET DE L'AVEUGLEMENT."

LE PEUPLE AMÉRICAIN EST À NOUVEAU VICTIME D'UN ÉTRANGER, UN CERTAIN KAMOV, QUI SE PRÉTEND DOCTEUR... UN DE CES IMMIGRÉS QUI ENVAHISSENT NOTRE SOL ! IL FAUT Y METTRE UN TERME !

ET SI J'ÉTAIS AU POUVOIR, MOI, LE SÉNATEUR CHARLES LENNOX, JE JURE QUE CES BARBARES SERAIENT TRAITÉS COMME ILS LE MÉRITENT !

UN APPEL POUR VOUS, SÉNATEUR... IL PARAÎT QUE C'EST URGENT...

"... AU SUJET DE VOTRE FILS.

SÉNATEUR LENNOX ! SÉNATEUR ! UNE DERNIÈRE QUESTION !

NOUS CONFIONS TON SERVITEUR À TA CLÉMENCE, SEIGNEUR... PUISSE-T-IL ÊTRE ENFIN DÉLIVRÉ DES SOUFFRANCES DE CETTE VIE...

NON !... NON, JOSEPH... NOON !

"... ET CONNAÎTRE TON AMOUR POUR L'ÉTERNITÉ.

JE NE PARLERAI QU'À McKINLEY EN PERSONNE !

ET JE ME MOQUE QUE VOUS SOYEZ LE VICE-PRÉSIDENT ROOSEVELT, OU SIMPLEMENT "TEDDY" ! S'IL "LUI" ARRIVAIT QUOI QUE CE SOIT, VOUS SERIEZ MON PREMIER SUSPECT !

RASSUREZ-VOUS, RICHARD, LE PRÉSIDENT EST EN SÉCURITÉ, ET VOUS...

À LA RETRAITE !

VOUS AURIEZ MIEUX FAIT D'ALLER À LA PÊCHE...

"... PLUTÔT QUE D'ENGAGER UNE POIGNÉE DE MERCENAIRES POUR METTRE À SAC LA MOITIÉ DE NEW YORK... VOUS AVEZ PERDU LA TÊTE, MON PAUVRE CLAYTON.

IL FAUT CROIRE QUE C'EST L'ÂGE...

7

AU NOM DU PÈRE, DU FILS ET DU SAINT-ESPRIT...

...AMEN !

BON DIEU, BUCHINSKY, SI NOS ÉLECTEURS APPRENNENT QU'UN ANCIEN DE LA MAISON BLANCHE EST MÊLÉ DE PRÈS OU DE LOIN À CES EMPOISONNEMENTS, VOUS IMAGINEZ LE SCANDALE... ON NE PEUT PAS SE LE PERMETTRE, PAS À TROIS JOURS DE L'EXPOSITION...

NE VOUS INQUIÉTEZ PAS, MONSIEUR ROOSEVELT, JE VAIS M'OCCUPER DES AMIS DE CLAYTON, PERSONNELLEMENT. JE SERAI À NEW YORK AVANT CE SOIR.

IL EST AVEC NOTRE SEIGNEUR, MAINTENANT.

POURQUOI ? POURQUOI LUI ? IL ÉTAIT SI GENTIL, SI...

QUEL DIEU A PU PERMETTRE CELA ?

JE...

HÉ ! L'INDIEN !

RENDS-TOI UTILE, UN PEU ! VA ME CHERCHER UN TOUBIB ! Y EN A QUE POUR LES LOQUETEUX, ICI ! DÉJÀ QU'UNE DE VOS FOUTUES AMBULANCES ME ROULE SUR LE PIED, FAUT ENCORE QUE JE POIREAUTE ?!

OUI OUI !

LORSQUE JE DIRAI "LAPIN BLANC", TU REVIENDRAS À TOI, TIMMY, EST-CE QUE TU M'ENTENDS ?

POURQUOI AVAIS-TU DE LA STRYCHNINE AVEC TOI ? QUI T'A DONNÉ CE POISON ?

PÈRE... À CAUSE DE LUI... JE L'AI... SUIVI...

8

JE N'EN AI PAS ENCORE FINI AVEC LUI.

TOUCHEZ MON FRÈRE UNE FOIS DE PLUS ET JE VOUS FAIS ENFERMER ! VOUS ALLEZ LUI FOUTRE LA PAIX, VOUS M'AVEZ COMPRISE ?!

SI TU VEUX PRIER... ÇA SE PASSE DANS LA CHAMBRE DU FILS LENNOX !

JE NE SAIS PAS, MORTON.

MOI, JE SAIS. TU PEUX SORTIR TA LITURGIE ROMAINE, CE GOSSE A BESOIN DE TOI, IL EST POSSÉDÉ, ANGEL.

JE NE PARLE PAS DU GOSSE.

JE PARLE DE MOI. JE PRÉFÈRERAIS ÉVITER.

TU CROIS AVOIR LE CHOIX ?

JE PEUX... JE PEUX TOUT ARRANGER... LAISSE-MOI PARTIR... JE T'EN SUPPLIE, KATHRYN... S'IL TE PLAÎT !

C'EST IMPOSSIBLE, TIMMY... TOUS CES GENS... IL... IL FAUT QUE TU...

FAIS-MOI CONFIANCE... POUR UNE FOIS.

JE SUIS BIEN CONTENT DE VOUS VOIR, MESSIEURS ! ILS SONT DEUX...

... C'EST LE VIEUX QUI A L'AIR LE PLUS DANGEREUX...

HÉ ! LÀ ! J'ATTENDS TOUJOURS, MOI !

OÙ EST-IL ?!

POURQUOI VOUS LE DIRAIS-JE ?

VOUS L'AVEZ LAISSÉ... PETITE SOTTE !

AH, ENFIN LA POLICE ! ÉCOUTEZ-MOI, JE VEUX PORTER PLAINTE !

KATHRYN ! ÉLOIGNEZ-VOUS !

13

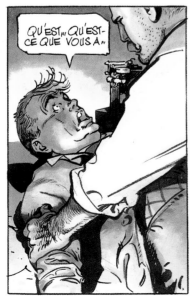

14

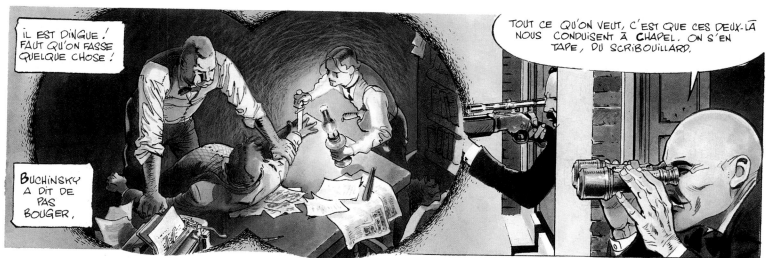

"...DE SON VRAI NOM EDWARD ALEXANDER CROWLEY.

RECHERCHÉ DEPUIS SIX ANS PAR SCOTLAND YARD ET LA SÛRETÉ FRANÇAISE.

UNIQUE HÉRITIER D'UNE DES FAMILLES LES PLUS FORTUNÉES D'ANGLE-TERRE,... ET DES PLUS CONSERVATRICES.

DÈS SON ENFANCE, LES PRÉCEPTEURS ONT SOUPÇONNÉ EN LUI UNE "FASCINATION COUPABLE POUR LE MALIN".

ILS ONT BIEN SÛR TENTÉ DE LE GUÉRIR, EN LUI IN-CULQUANT DES BASES SOLIDES DE MORALE CHRÉ-TIENNE... MAIS AVEC UN SUCCÈS TRÈS RELATIF.

LE JOUR DE SA TREIZIÈME ANNÉE, UN TERRIBLE ACCIDENT FAIT D'ALEIS-TER CROWLEY UN ORPHELIN...

"...POUR SA PLUS GRANDE JOIE.

LE VOILÀ LIBRE DE DILAPIDER SON HÉRITAGE POUR ASSOUVIR SA PASSION: L'OCCULTISME. ON RETROUVE SA TRACE DANS TOUS LES CERCLES INITIATIQUES D'EUROPE... DE L'ALLE-MAGNE JUSQU'EN RUSSIE... À LA RECHERCHE DE CELUI QU'IL NOMME LE "MAÎTRE AUTHENTIQUE."

TOUS CEUX QUI LE RENCONTRENT ÉVOQUENT SON CHARME HYPNOTIQUE, ET SA MÉMOIRE PHÉNOMÉNALE... D'APRÈS EUX, CROWLEY N'ÉTUDIAIT PAS LES LÉGENDES, IL LES VIVAIT.

ET CE SERAIT L'HOMME QUI A...

...ENVOÛTÉ VOTRE FRÈRE ET UN NOMBRE INCONNU DE MEMBRES DU CENTURY CLUB.

ENVOÛTÉ ? J'AI BIEN EN-TENDU, LÀ ?

16

VOUS AVEZ FINI DE M'INTERROMPRE ? BON. À L'AUTOMNE 93, LORS D'UN SÉJOUR EN SUISSE, CROWLEY DEVIENT L'AMANT DE L'ASTROLOGUE JULIAN BAKER...

...ET LUI VOLE LE FRUIT D'UNE VIE DE RECHERCHES... UN MANUSCRIT UNIQUE, L'ŒUVRE SACRÉE D'AÏFASS LE MAGE...

...ET ALEISTER CROWLEY Y TROUVE LE CHEMIN QUI LE MÈNERA JUSQU'AU SANCTUAIRE D'AÏFASS.

LÀ, JE M'Y PERDS, C'EST QUI, AÏFASS ?

ON VIENT DE TE LE DIRE, C'EST UN MAGE !

ENCORE UN MAGE ? IL SORTAIT LES LAPINS DES CHAPEAUX, CELUI-LÀ, AU MOINS...

QUE NENNI ! NOUS ARRIVONS À L'ORIGINE DU SIGNE ! C'EST LA CLÉ DE TOUT LE RESTE ! IL EST ASSOCIÉ À BIEN DES LÉGENDES, LA PLUS CÉLÈBRE ÉTANT CELLE DE FAUST, ET LA PLUS MÉCONNUE... CELLE D'AÏFASS.

C'EST PAR CE SIGNE QUE LE MAGE MARQUAIT CEUX À QUI IL ACCORDAIT SES FAVEURS.

CE QUI SIGNIFIE QUE CROWLEY DÉTIENT SON POUVOIR...

...ET QUE J'AURAIS PRÉFÉRÉ M'ÊTRE TROMPÉ !...

LE SEPTIÈME JOUR DE L'ANNÉE DU FAUCON, HAMMURABI, LE RÉGENT DU ROYAUME DE BABYLONE, SE FIT PRÉSENTER UN MAGE DU NOM D'AÏFASS, ACCOMPAGNÉ DE DEUX ÉTRANGES GUERRIERS NOMMÉS SICAIRES.
AÏFASS PROPOSA : "JE VEUX ICI M'ATTACHER À TON SERVICE, OBÉIR SANS FIN NI CESSE À TON MOINDRE DÉSIR ET FAIRE DE TOI LE NOUVEAU ROI. ET POUR TOUTES LES FAVEURS QUE JE T'ACCORDERAI, JE NE T'EN DEMANDERAI QU'UNE SEULE !"

HAMMURABI SE MOQUA DU MAGE: "JE VEUX ÉVINCER LE ROI, ET MILLE ARMÉES LE PROTÈGENT. COMMENT FERAS-TU UN TEL MIRACLE ?
AÏFASS SOURIT À SON TOUR AVANT DE RÉPONDRE : "TU N'AURAS QU'À M'AMENER SES SUJETS LES PLUS INFLUENTS, ET JE LEUR PROPOSERAI LE MÊME MARCHÉ QU'À TOI."

"ALORS QUE CHACUN D'ENTRE EUX CROIRA S'AFFRANCHIR DE SES DÉSIRS, IL S'ENCHAÎNERA EN NOUS OUVRANT SON CŒUR."
"ET POUR CHAQUE FAVEUR QUE J'OFFRIRAI, UNE FAVEUR ME SERA DUE, ET CHACUNE SERA UNE PIERRE DE PLUS À L'ÉDIFICE DE TA GLOIRE !"

AÏFASS DÉSIGNA LE SIGNE GRAVÉ SUR UNE CARTE DE PIERRE : "TU VOIS CETTE MARQUE ? TOUS DEVRONT ACCEPTER DE LA PORTER. TOI SEUL SERA LIBRE DE TON CHOIX."

HAMMURABI FUT CONQUIS. IL INVITA LE MAGE À VIVRE DANS LE PLUS LUXUEUX DE SES PALAIS, LÀ OÙ TOUS LES SUJETS POURRAIENT SOLLICITER SES FAVEURS...

CHAQUE MARCHÉ FUT CONCLU PAR L'ÉCHANGE D'UNE CARTE DE PIERRE ET CHAQUE ÂME FUT AINSI CONFIÉE AU MAGE.

18

HAMMURABI N'EUT PAS À S'EN PLAINDRE. COMME AÏFASS L'AVAIT PRÉDIT, LE ROI N'EUT BIENTÔT PLUS AUCUN SUJET À QUI SE FIER ET FUT RENVERSÉ.

HAMMURABI DEVINT ROI.

PUIS VINT LE JOUR OÙ LE ROI SE SENTIT L'OBLIGÉ D'AÏFASS ET LUI OFFRIT SES FAVEURS EN RETOUR.

FIDÈLE À SA PAROLE, HAÏFASS N'EN DEMANDA QU'UNE SEULE.

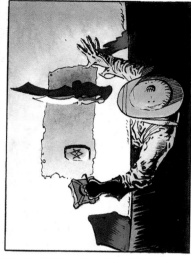

LA MORT DE TOUS LES DESCENDANTS MÂLES D'HAMMURABI.

LE ROI S'EMPORTA, ET EXIGEA LA RAISON D'UNE TELLE CRUAUTÉ.

AÏFASS SOURIT, ET LUI PARLA POUR LA DERNIÈRE FOIS : "JE DOIS TENIR CETTE PROMESSE CAR NOMBREUX SONT CEUX QUI ME L'ONT DEMANDÉ."

HAMMURABI ORDONNA QUE L'IMPERTINENT AÏFASS SOIT ÉCORCHÉ EN PLACE PUBLIQUE, MAIS IL ÉTAIT TROP TARD.

LES SICAIRES AVAIENT DÉJÀ FAIT LEUR OEUVRE...

... LES FILS DU ROI ÉTAIENT TOUS TOMBÉS SOUS LEUR LAME.

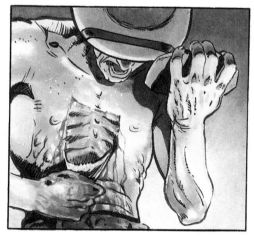

LE MAGE S'EN FUT, LAISSANT LE ROI SEUL FACE À SES ENNEMIS...

CAR TOUS AVAIENT EXIGÉ LA MÊME FAVEUR : LA DISPARITION TOTALE DE SON EMPIRE,

LA CHUTE DE BABYLONE.

ET LE MOINDRE DE LEURS VOEUX FUT EXAUCÉ... LE ROYAUME D'HAMMURABI S'EFFONDRA COMME UN CHÂTEAU DE SABLE.

À SON RÈGNE SUCCÉDA LE CHAOS, JUSQU'À CE QUE TOUTE TRACE DE SON ROYAUME AIT DISPARU DES TERRES CONNUES.

ON PEUT DÉCHIRER UN CONTRAT, OUBLIER UNE PROMESSE, NIER UN ENGAGEMENT... MAIS PERSONNE NE PEUT TRAHIR UN SERMENT DONNÉ SOUS LE SCEAU D'AÏFASS, JAMAIS.

21

ET SI LE MAGE LUI-MÊME SE TRAHIT ? S'IL NE TIENT PAS SA PROMESSE ?

IL A TOUJOURS FAIT EN SORTE QUE CELA N'ARRIVE PAS.

ET CROWLEY AURAIT "HÉRITÉ" DE CE MAGE ? C'EST ÇA, VOTRE EXPLICATION ?

NE VOUS INQUIÉTEZ PAS, MADEMOISELLE, ILS SONT UN PEU CINOQUES, LES DEUX VIEUX, MAIS J'AI LA SITUATION EN MAIN.

ON BOSSE POUR LE GOUVERNEMENT, VOUS SAVEZ...

EN OCTOBRE 1895, JE TRAVAILLAIS POUR UN HAUT FONC-TIONNAIRE NOM-MÉ CLAYTON. JE SAIS QUE VICTOR STUDWATER LUI SERVAIT D'INFORMATEUR...

APRÈS "L'ACCIDENT" DE MONTPARNASSE, CLAYTON A SUIVI DES PISTES REMON-TANT JUSQU'À ALEISTER CROWLEY...

ÇA, ON SAIT DÉJÀ... MAIS VOUS DISIEZ QUOI, À PROPOS DES SI...TRUCS, LÀ ?

...DES SICAIRES ? POUR CINQUANTE DOLLARS, JE POUR-RAIS EN PARLER... UNE MITZVAH* POUR CE PRIX-LÀ...

*en Yiddish: bonne action.

C'ÉTAIT DES GUERRIERS UN PEU SPÉCIAUX, SÉLECTIONNÉS PAR LE MAGE, ILS ÉTAIENT SOUMIS À UN TRAITEMENT... ADAPTÉ.

ACCOUCHE, VIEIL ESCROC ! T'AURAS PAS PLUS !!!

ON DIT QUE LES SICAIRES ÉTAIENT EMBAUMÉS VIVANTS... NOYÉS DANS DES ONGUENTS QUI LEUR BRÛLAIENT TISSUS ET NERFS, AFIN DE LES RENDRE INSENSIBLES À LA DOULEUR. BREF, LES TUEURS PARFAITS !

MERCI. ÇA M'AIDE BEAU-COUP...

PAS GRAVE, ON VA RESTER CLASSIQUE.

CALIBRE 7,63. AVEC CROISILLONS. EN PLEINE TÊTE, ÇA DONNE; EXPLOSION À L'IMPACT...

...ET COMME FRIANDISES, QUELQUES CHEVROTINES À LA MORT AUX RATS... ON VA LES SOIGNER, J'VOUS DIS.

20

IL FAUT QUE NOUS PARLIONS, MISS LENNOX...

...VOUS SAVEZ OÙ VOTRE FRÈRE EST ALLÉ, N'EST-CE PAS ? VOUS NE L'AURIEZ PAS LAISSÉ PARTIR SINON. PAS VOTRE GENRE...

ET ?... VOUS COMPTEZ SUR VOS BRUTES POUR ME FAIRE AVOUER ?

S'IL LE FAUT, OUI, MAIS VOUS ÊTES SUFFISAMMENT FUTÉE POUR NE PAS M'OBLIGER À EN ARRIVER LÀ...

...DITES-MOI, VOTRE PÈRE N'A JAMAIS FAIT SECRET DE SES AMBITIONS ? UN RÉGENT AMBITIEUX, UN MAGE CYNIQUE... QUE MANQUE-T-IL AU TABLEAU ? LES DESCENDANTS MÂLES...

TIMMY... OH ! MON DIEU... TIMMY ?!

VOUS AURIEZ DÛ ME FAIRE CONFIANCE, À L'HÔPITAL. VOUS POUVEZ VOUS RATTRAPER MAINTENANT. OÙ EST VOTRE FRÈRE ?

IL... IL A PARLÉ D'UN QUARTIER INDUSTRIEL, DU CÔTÉ D'HOBOKEN.

TRÈS BIEN. NOUS ALLONS VÉRIFIER TOUT DE SUITE... IL EST TEMPS D'APPELER VOTRE PÈRE, MADEMOISELLE. IL DOIT ÊTRE MORT D'INQUIÉTUDE.

QU'AS-TU FAIT, PAUVRE SOTTE ? JE VOUS AI FAIT CHERCHER DANS TOUTE LA VILLE !

ILS... ILS M'ONT FORCÉE À VOUS PRENDRE LA LISTE. ILS ONT DIT QUE TIMMY ÉTAIT EN DANGER.

TON FRÈRE EST AVEC VOUS ?

NON. IL EST PARTI...

...AU CLUB CENTURY !

OH ! NON, SEIGNEUR !... PAS... TIMMY !!!

NOUS DÉTENONS VOTRE LISTE. NOUS AVONS VOTRE FILLE. NOUS CONNAISSONS LES CONJURÉS, GRÂCE À VOUS...

... VOUS CROYEZ TOUJOURS QU'ALEISTER CROWLEY VA VOUS AIDER À FAIRE CARRIÈRE, SÉNATEUR ?

IL EST TROP TARD POUR VOTRE FILS. MAIS VOUS,VOUS ÊTES LIBRE...

QUE... QUE VOULEZ-VOUS ?

OÙ EST LE CLUB CENTURY ?

HOBOKEN, 17, FRANKLIN SQUARE.

CLIC !

TOUS LES MOYENS SONT BONS, HEIN ?

HEUREUSEMENT POUR VOUS.

VOUS... VOUS TRAVAILLEZ POUR LUI DEPUIS...?

ON PEUT PAS VOUS DIRE...

BART ! VA JETER UN COUP D'ŒIL DEHORS, TU VEUX ?

BART ET L'INDIEN, ILS ONT BOSSÉ AVEC CHAPEL. MOI, J'AI QUE DES TUYAUX DE DEUXIÈME BOURRE. MAIS EUX, ILS VOUS DIRONT RIEN...

ALORS QUE VOUS,VOUS NE RÉSISTEREZ PAS À UNE OCCASION DE FAIRE LE MALIN...

VOUS SAVEZ CE QU'ON DIT DE MORTON CHAPEL ? QUE LES SEULS FANTÔMES QU'IL N'A JAMAIS VAINCUS, CE SONT CEUX DE SES VICTIMES...

... AVANT DE TRAVAILLER POUR LA MAISON BLANCHE, IL A PASSÉ QUELQUES ANNÉES EN CAROLINE DU SUD, AVEC FEMME ET ENFANTS... L'HISTOIRE, C'EST QUE MME CHAPEL SERAIT DEVENUE COMPLÈTEMENT DINGUE, LIMITE POSSÉDÉE...

... ET CHAPEL, IL A PAS HÉSITÉ : IL L'A DESCENDUE DEVANT SA GOSSE.

22

24

25

CROOOOWLEYY!

OÙ ES-TU, FILS DE PUTE ?!

JE VAIS TE FAIRE SORTIR DE TON TROU !

CROWLEY!

TIMMY!

C'EST MOI TON PÈRE !... DESCENDS, MON GARÇON ! PARS !

SANS AVOIR ÉTÉ RÉCOMPENSÉ POUR SES FAVEURS ?

TIMMY! JE T'EN PRIE ! QUITTE CET ENDROIT !

ALLONS, SÉNATEUR ! VOTRE FILS MÉRITE SON DÛ...

... ET ALEISTER CROWLEY N'A QU'UNE PAROLE!

TIMMY! JE N'AI JAMAIS... JE NE VOULAIS PAS TE BLESSER. JE SUIS DÉSOLÉ...

26

28

K... KATHRYN?...

IL... IL A MENTI...

"CE "QUE" CR..CROWLEY M...ME DOIT..."

M...MAINTENANT... "À TOI..."

TOI... SEULE!

JE NE VOULAIS PAS ...TOUT CE QUE J'AI FAIT, JE...

... JE L'AI FAIT POUR VOUS.

VOUS VOULEZ VOUS EN CHARGER?

PAS DE ÇA.

POURQUOI PAS? ELLE A BIEN LE DROIT DE S'AMUSER, LA P'TITE DAME!

VOTRE FRÈRE VOUS A FAIT UN DON PRÉCIEUX, MADEMOISELLE. NE LE GÂCHEZ PAS.

TANT QUE VOTRE PÈRE VIVRA, CROWLEY SERA VULNÉRABLE.

NOON!

ALLONS-NOUS LAISSER McKINLEY ET SES PORCS S'ENGRAISSER SUR NOTRE DOS?

ALLONS-NOUS LES LAISSER NOUS EMPOISON- NER COMME DES CHIENS?

NOON!

ALORS, BATTONS-NOUS! LA LIBERTÉ QU'ILS NE NOUS DONNE- RONT JAMAIS ...

... NOUS DEVRONS LA CONQUÉRIR L'ARME AU POING!

LÉON?

JE SUIS TELLEMENT CONTENTE QUE TU AIES PU VENIR! C'EST LE GRAND JOUR! FINI LES PARLOTTES, ON VA POUVOIR AGIR.

EUH, OUI... IL FAUT QUE J'Y AILLE. À BIEN- TÔT, JUDITH,

ON SE VERRA À L'EXPOSITION?

OUI, OUI,... BIEN SÛR.

30

32

MONSIEUR CSOLGOSZ... ILS... ILS SONT TOUS LÀ-BAS.

ET LES ARMES ?

ILS SONT EN TRAIN DE LES DISTRIBUER, MAIS...

...ILS N'ONT PAS REÇU LES MUNITIONS, COLONEL.

PARFAIT ! NOUS SOMMES TRÈS FIERS DE VOUS, LEON. VOUS AVEZ FAIT VOTRE DEVOIR.

IL EST JUSTE QUE VOUS SOYEZ PAYÉ EN RETOUR. MON AMI VOUS ATTEND... N'AYEZ CRAINTE. IL AURA À CŒUR DE S'OCCUPER DE VOUS.

VOUS Y ÉTIEZ OBLIGÉ, MONSIEUR CSOLGOSZ. VOTRE CAUSE A BESOIN DE CES MARTYRS...

...COMME ELLE A BESOIN DE VOUS POUR ABATTRE L'OPPRESSEUR D'UN SEUL ET UNIQUE GESTE... FRAPPER L'ÉTAT À SA TÊTE.

VOUS SEREZ DANS LES LIVRES D'HISTOIRE, MON AMI. VOUS DEVIENDREZ... UN HÉROS.

31

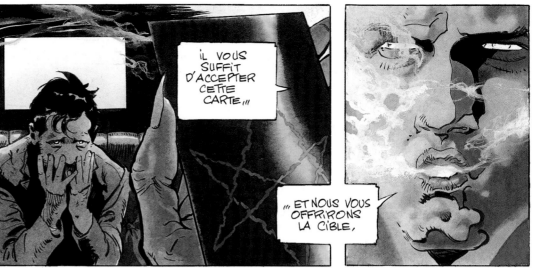

IL VOUS SUFFIT D'ACCEPTER CETTE CARTE...

"... ET NOUS VOUS OFFRIRONS LA CIBLE.

MAGNIFIQUE

QUEL DOMMAGE...

" QUE BETH SOIT MALADE.

VOUS IMAGINEZ LA PRESSE ? INAUGURER UNE EXPOSITION PANAMÉRICAINE SANS LA PREMIÈRE DAME ! DU JAMAIS VU !

LES DOCTEURS SONT CONFIANTS, MONSIEUR LE PRÉSIDENT, ELLE SERA VITE EN ÉTAT DE VOUS REJOINDRE.

BUCHINSKY CONFIRME. C'EST SÉRIEUX, SES HOMMES VIENNENT DE NEUTRALISER JUSTE À TEMPS, DES ANARCHISTES ARMÉS JUSQU'AUX DENTS, ILS ÉTAIENT À UNE HEURE DE BUFFALO. BUCHINSKY PENSE QU'IL Y EN A D'AUTRES DISSÉMINÉS DANS LA FOULE, À L'EXPOSITION, IL FAUT ANNULER LA VISITE DU PRÉSIDENT.

VOUS N'AVEZ QU'À RENFORCER VOTRE DISPOSITIF. VOUS AVEZ CARTE BLANCHE.

HORS DE QUESTION ! LE PRÉSIDENT NE FUIT DEVANT PERSONNE, RIPPER. TENEZ-VOUS-LE POUR DIT.

À VOS ORDRES, MONSIEUR LE VICE-PRÉSIDENT.

32

34

MARSHALL FÉDÉRAL JOHN COURSIER, JE DOIS ASSURER LE TRANSFERT D'UN DE VOS PRISONNIERS...

LE '''DÉNOMMÉ CLAYTON, RICHARD,

!!! J'EN AI DÉJÀ VU, DES FAUX '''

'''MAIS RAREMENT AUSSI RATÉS !

POURQUOI LES GENS NE SONT-ILS JAMAIS SERVIABLES ?

KLAK

SI MONSIEUR VEUT BIEN SE DONNER LA PEINE DE ME SUIVRE '''

UN ATTENTAT. À BUFFALO, VOILÀ CE QU'A PRÉVU CROWLEY, UN ACTE ISOLÉ, QUI ENTRAÎNERA DES REPRÉSAILLES SANGLANTES .

COMMENT ?

HARVEY DAWSON A LIVRÉ DES ARMES AUX GROUPEMENTS ANARCHISTES DU MIDDLE WEST, LE COLONEL BUCHINSKY A ORGANISÉ LEUR ''' ARRESTATION, ET LE GÉNÉRAL RIPPER COMPTE S'EN SERVIR COMME PRÉTEXTE POUR TIRER SUR LA FOULE DE L'EXPOSITION,

DÈS QUE MCKINLEY AURA ÉTÉ TUÉ, BUCHINSKY ET SES HOMMES SE CHARGERONT DE METTRE LE VICE-PRÉSIDENT À L'ABRI... VOUS IMAGINEZ LA SUITE,

MCKINLEY MORT, ROOSEVELT DISPARU... BUFFALO TOURNE AU MASSACRE,

IL Y AURA UNE VACANCE DU POUVOIR, L'ARMÉE ENTRERA DANS LA DANSE ''' ET LA COLÈRE DU PEUPLE FERA LE RESTE...

COMME UNE TRAÎNÉE DE POUDRE !

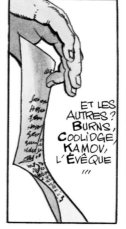

ET LES AUTRES ? BURNS, COOLIDGE, KAMOV, L'ÉVÊQUE '''

ILS REPRÉSENTAIENT L'AUTORITÉ, L'ÉLITE MORALE, ÉCONOMIQUE ET POLITIQUE DU PAYS. SI LE PEUPLE APPRENAIT, JUSTE APRÈS BUFFALO, QU'ILS ÉTAIENT FOUS À LIER... LES DERNIÈRES BARRIÈRES CÉDERAIENT,

35

QUI EST LE TUEUR ? QUI DOIT SE CHARGER DE McKINLEY ?

IL S'APPELLE LEON CSOLGOSZ. UN ANARCHISTE... IL A FAIT LE MOUCHARD POUR BUCHINSKY. CROWLEY LUI A OFFERT DE SE RACHETER.

TU ME DONNES ENVIE DE VOMIR !

CROWLEY M'AVAIT PROMIS... LA MAISON BLANCHE. JE... J'AURAIS PU DEVENIR PRÉSIDENT.

ET TU LUI AS VENDU TON PROPRE FILS !

NON ! IL M'A MENTI ! J'AI ESSAYÉ DE PROTÉGER TIMMY !

ALLONS, ALLONS, KATHRYN... CETTE FOIS-CI, NOUS AVONS L'AVANTAGE : NOUS CONNAISSONS LE PLAN DE CROWLEY...

... À NOUS DE SAVOIR L'EXPLOITER ...

... ET DIEU SAIT QU'IL VA VOUS FALLOIR DU SANG-FROID.

KATHRYN, MON PETIT ! QUE VOUS EST-IL ARRIVÉ ?

JE CROYAIS QUE CES HOMMES VOUS AVAIENT KIDNAPPÉE !

ILS... ILS SE SONT RENDUS À LA POLICE.

AH ! VOILÀ QUI ME RASSURE ! ET VOTRE FRÈRE ?

IL EST ENTRE DE BONNES MAINS.

34

J'ÉTAIS IMPATIENTE DE REPRENDRE MON TRAVAIL À VOS CÔTÉS, DOCTEUR.

VOUS M'EN VOYEZ SOULAGÉ! PENDANT UN MOMENT, J'AI EU PEUR DE DEVOIR ALLER À BUFFALO SANS VOUS!

CE SERA NOTRE HEURE DE GLOIRE, MON PETIT... LE VICE-PRÉSIDENT ROOSEVELT EN PERSONNE DOIT ASSISTER À VOTRE DÉMONSTRATION!

QUEL HONNEUR...

J'AI SÉLECTIONNÉ DES CAS DE PREMIER CHOIX! LE PSYCHOPATHE DE LA 22, LE SCHIZOÏDE DE LA 33, LE PETIT PERVERS DE LA 8...

...ET LA LÉGUME DE LA 17.

JUSTEMENT, JE VOULAIS VOUS PROPOSER UNE ALTERNATIVE AU CAS "CATATONIQUE" DE LA 17... UN SPÉCIMEN QUE LE PROFESSEUR FREUD VIENT DE M'ENVOYER SPÉCIALEMENT D'EUROPE...

...L'HOMME-OURS.

GRRRR RRR

J'SUIS TROP SERRÉ LÀ-D'DANS!

CE N'EST PAS FAIT POUR ÊTRE CONFORTABLE.

VOUS ÊTES SÛRE?

GGGRRRRR

TOTALEMENT SÛRE.

㉟

ANGEL, JE SAIS QUE TU N'AIMES PAS FAIRE ÇA... MAIS IL FAUT QUE QUELQU'UN S'OCCUPE DE CE CSOLGOSZ. D'APRÈS NOTRE AMI LE SÉNATEUR, CE N'EST PAS UN TIREUR D'ÉLITE. "CSOLGOSZ VA VOULOIR S'APPROCHER DU PRÉSIDENT, PARMI LA FOULE DE SES ADMIRATEURS."

"ET COMME LES HOMMES DE LA SÉCURITÉ NE FERONT PAS ATTENTION À UN PAUVRE INDIEN,"

AAADMIREZ LE GRAND, L'UNIQUE, LE VVRAÏ GERONIMO EN PERSONNE, MESSIEURS DAMES! APPROCHEZ, APPROCHEZ, IL NE VOUS MORDRA PAS!

"ÇA TE LAISSE UNE CHANCE D'INTERCEPTER CSOLGOSZ." VIVANT OU MORT,

À QUOI BON? McKINLEY PEUT BIEN SE FAIRE DESCENDRE...

"POUR CE QUE ÇA CHANGE." CE MAUDIT PAYS A MÉRITÉ CENT FOIS CE QUI VA LUI ARRIVER.

IL FERA SON BOULOT. ON CONTINUE.

BART ET MADEMOISELLE LENNOX VONT OFFRIR UN DIVERTISSEMENT DE QUALITÉ À MONSIEUR ROOSEVELT,"

"ET VEILLER À CE QU'IL VIVE POUR LE RACONTER À SES PETITS-ENFANTS,

MONSIEUR LE VICE-PRÉSIDENT, MESSIEURS ET MESDAMES,... NOUS ALLONS TENTER DE DÉTERMINER LE TRAUMATISME QUI A FAIT RÉGRESSER CE PAUVRE HÈRE AU STADE ANIMAL.

MERCI D'OBSERVER LE SILENCE, AFIN DE NE PAS PERTURBER LA SÉANCE D'HYPNOSE.

"UN "UN GRAND HON-NEUR,"

38

QUANT À CROWLEY... IL EST POUR MOI.

C'EST UN VOYEUR SADIQUE, UN PERVERS QUI JOUIT DU SPECTACLE DE LA SOUFFRANCE. IL SERA AUX PREMIÈRES LOGES.

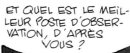

ET QUEL EST LE MEILLEUR POSTE D'OBSERVATION, D'APRÈS VOUS ?

LA TOUR ÉLECTRIQUE.

ET COMMENT VOUS POUVEZ EN ÊTRE AUSSI SÛR ?

PARCE QUE ÊTRE SÛR, C'EST MON MÉTIER.

VOUS NE FAITES PLUS CONFIANCE À VOS HOMMES ?

ILS N'ONT PAS BESOIN D'ENTENDRE CE QUE J'AI À VOUS DIRE.

VOTRE FRÈRE VOUS A TRANSMIS SON FARDEAU, MADEMOISELLE. UN CONTRAT QUI NE DEVAIT PAS DISPARAÎTRE...

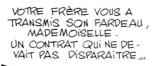

... MAIS QUI FAIT DE VOUS UN NOM DE PLUS SUR CETTE LISTE. VOUS ÊTES UN DES OTAGES DE CROWLEY. S'IL MEURT, VOUS MOURREZ AUSSI.

39

NOTRE SEULE CHANCE, C'EST QUE LE *MAGE* N'AIT PAS TENU PAROLE. MON AMI *CLAYTON* VA S'OCCUPER D'ASSURER LA SÉCURITÉ DE VOTRE PÈRE...

"CE QUI NOUS PERMET D'ESPÉRER QUE TOUTES LES PERSONNES SOUS SON INFLUENCE NE VONT PAS TOMBER FOUDROYÉES QUAND JE TUERAI *CROWLEY*. VOUS ME SUIVEZ, MAINTENANT ?"

...CE "QUE "CR... CROWLEY... M... ME DOIT... "M... MAINTENANT...

...À TOI...

CROWLEY EST PERSUADÉ QUE LE MONDE EST AUSSI PERVERS QUE LUI.

PLUTÔT QUE DE M'ÉLIMINER IMMÉDIATEMENT, IL TENTERA DE ME CORROMPRE...

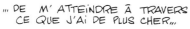

" DE M'ATTEINDRE À TRAVERS CE QUE J'AI DE PLUS CHER..."

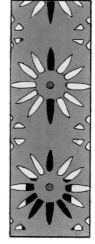

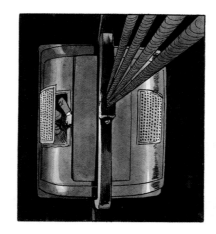

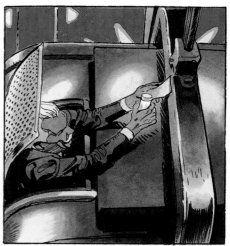

...IL VOUDRA ME PARLER DE MA FILLE.

DING!

"... OU PUIS-JE VOUS APPELER MORTON ? ENTRE COMPATRIOTES, ON PEUT SE PERMETTRE QUELQUES FAMILIARITÉS.

NE VOUS GÊNEZ PAS... ALEISTER.

APPROCHEZ, MONSIEUR CHAPEL ...

QUEL SPECTACLE, N'EST-CE PAS ? DES MILLIONS DE DOLLARS VOLATILISÉS POUR CE CIRQUE, QUAND LE QUART DE CE PAYS NE TROUVE MÊME PAS DE QUOI SE NOURRIR...

RIEN N'A CHANGÉ, DEPUIS L'ANTIQUITÉ. DU PAIN ET DES JEUX, VOILÀ TOUT CE QU'ILS ONT À NOUS OFFRIR...

C'EST TOUJOURS MIEUX QUE CE QUE VOUS PROPOSEZ.

ALLONS, MORTON ! NOUS CONNAISSONS CES SERMONS MIEUX QUE QUICONQUE ! TU VEUX LE BONHEUR ? CONTENTE-TOI D'UNE FEMME ET UNE SEULE ! TRAITE LE FAIBLE COMME LE FORT ! REFUSE LA PASSION ! RÉPRIME TES INSTINCTS !

REFUSE, SOUFFRE, FLAGELLE-TOI ! MEURTRIS TA CHAIR ET TON ÂME ET TU VERRAS LE CIEL ! MENSONGES ! MENSONGES ! MENSONGES !!!

ILS NOUS ENSEIGNENT DE TENDRE L'AUTRE JOUE ... POUR MIEUX NOUS ASSERVIR !

MAIS AUJOURD'HUI, TOUT CELA PEUT CHANGER... VOICI VENU LE TEMPS DE LA LIBÉRATION.

4

43

EH BEN! EN V'LÀ, DES MANIÈRES!

HÉLÀ! DOUCEMENT! BOUSCULEZ PAS TOUT LE MONDE!

DIS DONC, PEAU-ROUGE,... TU TE TROMPES DE DIRECTION, MON VIEUX! LA RÉSERVE, C'EST DERRIÈRE TOI!

ILS VOUS ONT PRIS TOUT CE QUE VOUS AVIEZ DE PLUS CHER!

ILS SE SONT SERVIS DE VOUS,... ET QUE VOUS ONT-ILS DONNÉ EN ÉCHANGE?

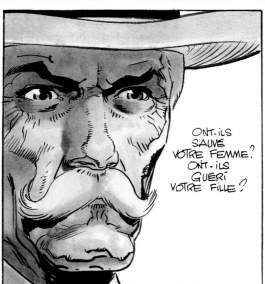

ONT-ILS SAUVÉ VOTRE FEMME? ONT-ILS GUÉRI VOTRE FILLE?

VOUS N'ENTENDEZ PLUS QUE MA VOIX,... VOUS REMONTEZ DANS LE TEMPS,...

,,, VOUS ÊTES REDE-VENU UN JEUNE OURSON,,,

GRRR GRRR,,,

43

ARRÊTEZ-LE!

ARRÊTEZ CE FUMIER DE PEAU-ROUGE!

MON CHER MORTON, JE POURRAIS COMBLER VOTRE SEUL VÉRITABLE DÉSIR... MAIS IL FAUT QUE VOUS VENIEZ À MOI EN PAIX...SANS ARME.,,

PAW

PAW

44

VOUS VOILÀ PLUS RAISONNABLE...

..."ET ENCLIN À RECONNAÎTRE LA VÉRITÉ..."

ON A TIRÉ SUR LE PRÉSIDENT!

DAMN IT!

IL FAUT VOUS ÉVACUER IMMÉDIATEMENT, TEDDY!

L'HOMME OURS S'EST ÉCHAPPÉ!

BUM OUUiiiLLE? THUD CRASH OUCH!

MONSIEUR ROOSEVELT RESTE ICI, EN SÉCURITÉ!...

PAUVRE CINGLÉ!

FEU À VOLONTÉ!

NON! NON! VOUS ÊTES DINGUE!

OUH LÀ... QUAND ÇA SE COMPLIQUE...

...FAUT SIMPLIFIER!

À L'AIDE! À L'ASSASSIN!

TA GUEULE! J'ESSAYE DE SAUVER TES FESSES, TEDDY!

AINSI, VOUS ÊTES VENU À MOI... ET POURQUOI DONC...

"SI CE N'EST DANS L'ESPOIR DE PROFITER DE MES TALENTS?" DANS L'ESPOIR DE SAUVER... MEGAN.

LORSQU'IL PRONONCERA LE NOM DE VOTRE FILLE, VOUS REVIENDREZ À CET ÉTAT; VOUS N'ENTENDREZ PLUS QUE MA VOIX: "TUEZ-LE, TUEZ CROWLEY."

CHAPEL! ÉCOUTEZ-M...

CHAPEL!

CRÈVE!

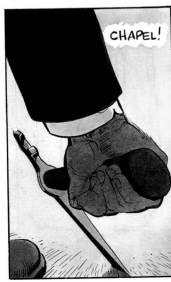

N... NON... NON!... C'EST IMPOSSIBLE!

NON!

46

48

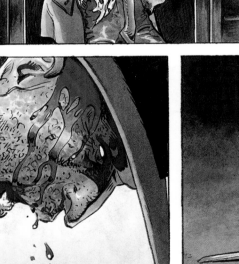

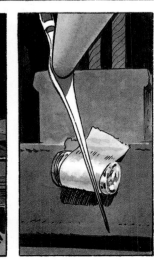

47

LAISSEZ-LE-NOUS!

ON VA LUI FAIRE LA PEAU!

ET L'INDIEN AVEC!

C'EST SON COMPLICE!

RECULEZ! RECULEZ QU'IL PUISSE RESPIRER...

DES ARMES! DES ARMES DANS LA FOULE!

À MON SIGNAL POUR OUVRIR LE FEU...

IL REVIENT À LUI!... SES YEUX S'OUVRENT...

FEU À VOL...

PAW! ...AW...AW...

BINGO!

TIREUR SUR LE TOIT!

SBAM SBAM ...AM ...AM SPAAAAAA

PWWWWWW PENG! PEEEEEEE TSING

48

50

MERDE! J'Y VOIS PLUS RIEN...

RENDEZ-VOUS, MON VIEUX... VOUS N'AVEZ AUCUNE ISSUE!

HAUT LES MAINS!

VENGEZ LE PRÉSIDENT! TUEZ-LES!

ASSEZ!

...RELEVEZ-MOI!

CE PAYS A DES LOIS! ET DIEU M'EST TÉMOIN QU'AUCUN LYNCHAGE NE SERA COMMIS EN MON NOM!

ET JE... JE...

MONSIEUR LE PRÉSIDENT!

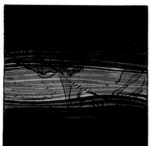

TUEZ-MOI, ET VOUS MOURREZ COMME TOUS CEUX QUI ONT ACCEPTÉ MON PACTE.

NON, IL N'Y A PLUS DE PACTE.

VOUS N'AVEZ PAS TENU PAROLE.

MON PÈRE EST VIVANT!

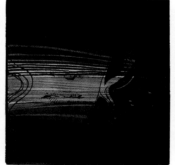

50

FÉLICITATIONS, LEW !

DE LOIN VOTRE MEILLEUR ARTICLE !

MAIS, JE ...

VRAIMENT, L'HONNÊTETÉ AVEC LAQUELLE VOUS ADMETTEZ VOS ERREURS VOUS M'AVEZ ÉMU !

MEA CULPA I LIED !

By Lewis Furey

The Third Martyred President at the Pan-American Exposition and then I thought "Mea Culpa the time to explain my last and to understand why I lied, with success for the Mor and my career instead. Buffalo listen to the last wo "Good bye, All, Good bye, it Done". Now the Body of sleeps near the fa at last with wife

MAIS ... MAIS ... JE N'AI JAMAIS ÉCRIT CET ARTICLE !

VOUS ÊTES TROP MODESTE !

MAIS ENFIN, LA VÉRITÉ SUR BUFFALO, LES RÉVÉLATIONS SUR LE CENTURY CLUB ... LE PUBLIC A LE DROIT DE ...

LA LIGNE ÉDITORIALE A CHANGÉ ...

?!?

MONSIEUR CLAYTON ICI PRÉSENT S'EST PORTÉ ACQUÉREUR DU MORNING SUN, HIER SOIR ... J'AI DÉCIDÉ D'ACCEPTER SON OFFRE !

VOUS SAVEZ, LEW, JE CROIS QUE VOUS AVEZ RAISON D'ABANDONNER LE JOURNALISME POUR LA FICTION ...

... VOUS Y AVEZ PLUS D'AVENIR !

Morning Sun

SEIGNEUR, NOUS TE CONFIONS NOTRE FRÈRE TIMOTHY HARVEY LENNOX,

PUISSES-TU LUI PARDONNER SES FAUTES, ET LUI ACCORDER TA PAIX POUR L'ÉTERNITÉ.

51

« DE LA POUSSIÈRE À LA POUSSIÈRE, DES CENDRES À LA CENDRE... »

«...AMEN. »

WELL, NOUS N'AVONS PLUS RIEN À FAIRE ICI.

KATHRYN !

«... JE SAIS QUE NOUS AVONS EU QUELQUES DIFFÉRENDS, MAIS » TOUT CELA EST TERMINÉ, MAINTENANT, ET » TA MÈRE ET MOI NOUS DEMANDIONS SI TU NE VOUDRAIS PAS...»

«...REVENIR À LA MAISON...»

KATHRYN ! TA MÈRE A BESOIN DE TOI ! KATHRYN !...

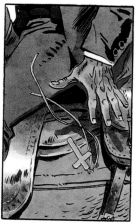

ANGEL, JE ...

J'AVAIS DIT QUINZE JOURS...

... C'ÉTAIT DÉJÀ TROP!

QU'EST-CE QU'IL LUI PREND ?

MADEMOISELLE LENNOX, J'AI UNE OFFRE À VOUS F...

J'ACCEPTE!

HÉ BIEN ... IL VAUT MIEUX QUE JE VOUS PRÉVIENNE TOUT DE SUIT...

CE N'EST PAS PARCE QUE JE COLLABORE AVEC VOUS QUE JE VAIS PRENDRE DES LEÇONS D'UN VIEUX SOCIOPATHE SUICIDAIRE,

... ET NE COMPTEZ PAS SUR MOI POUR SOIGNER VOS RHUMATISMES.

OÙ ON VA PATR...

WASHINGTON !

53

ENFIN UNE BONNE NOUVELLE !

LE GROS McKINLEY A BIEN FINI PAR CREVER ! ...

"... ET ROOSEVELT NE TENTERA RIEN CONTRE MOI : IL SAIT QUE J'AI MES PETITS DOSSIERS, ..."

JE VAIS SANS DOUTE POUVOIR REPARTIR EN CAMPAGNE. QUI SAIT ? LE DEUIL ATTIRE SOUVENT LA SYMPATHIE DES ÉLECTEURS ...

RASSEMBLONS-NOUS LE LONG DU FLEUVE ...

MA CHÈRE, JE SAIS COMBIEN TOUT CELA A DÛ ÊTRE PÉNIBLE POUR VOUS, MAIS VOUS ALLEZ VOIR ...

"... OÙ SONT DESCENDUS TOUS LES ANGES

"... TOUT VA S'ARRANGER.

MOI, THEODORE ROOSEVELT, JURE SOLENNELLEMENT QUE JE REMPLIRAI FIDÈLEMENT LES FONCTIONS DE PRÉSIDENT DES ÉTATS-UNIS ET QUE, DANS LA MESURE DE MES MOYENS, JE SAUVEGARDERAI, PROTÈGERAI ET DÉFENDRAI LA CONSTITUTION.

CLAPCLAPCLAPCLAP CLAP CLAP CLAP CLAP CLAP CLAPCLAP

ALORS, C'EST REPARTI, MONSIEUR ?

MAIS OUI, COURSIER. LES PRÉSIDENTS CHANGENT ...

CLAP CLAP CLAP CLAP CLAP CLAP

"... L'HISTOIRE CONTINUE.

W·E·S·T

54

FIN

W·E·S·T